**A Rika Zaraï
et au Prof. Schwartzenberg**

docteur gérard saraf

médecine générale
c.e.s. de biologie et de médecine du sport
c.e.r. de podologie

consultations :
lundi, mardi, jeudi 14 h à 16 h 30
vendredi, samedi 10 h à 12 h
et sur rendez-vous

le 30 - 9 - 88

Mr SERRE Claude

1 - Vergerette du Canada
Sucer et laisser fondre 3 granules 7 CH /J

2 - Sirop de Verge d'Or
3 à 4 petits verres /J

3 - Pissenlit (Racine)
Digestés de racines fraiches
1 cà café le matin

4 - Satin Massif TM
1 inhalation ttes les 3 heures

5 - Aspirine 1 gr.
1 sachet le jeudi dimanche du 05 3 mois mois
Si persistance des troubles
voir un médecin

membre d'une association de gestion agréée, le règlement des honoraires par chèque est accepté.

77 1 02373 6

SERRE Rechute

EDITIONS
Glénat

y s'ensuyt, en guise de préface, *quelques extraits du* Livre du Trésor et des Secretz de Médecine, compilés par Maistre Raoul du Mont Vert, translaté de latin en françois. Où sont contenus plusieurs enseignemens de médecine expérimentez pour la santé et confirmation de tous corps humains, lequel livre Ypocras envoya à Galien pour guérir de plusieurs maladies et ont été lesdictz remèdes cy-après approuvez par Galien.

PREMIÈREMENT SERONT DÉCLAREZ LES VEINES POUR SAIGNER
LA VEINE DE LA POINTE DU NEZ

Icelle veine de la poire du nez vault pour purger la mémoire, le cerveau et ainsi faict-elle plus cler ouyr.

LA VEINE DU VENTRE DE DESSOUBZ LE FOIE

Icelle veine est bonne pour une personne surprise.

LA VEINE DES CUISSES

Icelle veine vault pour tirer la maladie des lieux secretz et à celles de par-dessoubz, et doit estre saignée après manger.

LA VEINE DE DESSOUBZ LE GENOIL

Icelle veine vault contre les glandes et les couillons enflés.

LA VEINE DE DESSOUBZ LA CHEVILLE DU PIED PAR DEDANS

Icelle veine vault pour la matrice et la vessie de la femme.

LA VEINE DE DESSOUBZ LE GROS DU PIED

Icelle vault contre les apostumes et bosses qui viennent aux aines et à telle maladie que nous avons, assavoir les hémorroïdes.

SI VOUS VOULEZ FAIRE VENIR DES CHEVEULX OU IL N'Y EN A POINT

Prenez de la fiente de rat et de taupe, autant de l'une que de l'aultre, et meslez-les ensemble dans de l'huylle rosat, et continuez souvent d'en mettre sur le lieu, et il y en naîtra sans faulte.

CONTRE LES FISTULES DE LA TESTE

Lavez souvent vostre chef dans du vinaigre avec de la camomille criblée et broyée avec ledict vinaigre : il n'est point de meilleure cure, dict Macer.

POUR GUÉRIR LES YEUX
Prenez du sang de tourterelle et mettez-le sur l'œil.

POUR NARINE PUANTE QUI VIENT DU CERVEAU
Prenez du jus de menthe et de rue, et meslez tout ensemble, et mettez-en souvent en vostre narine.

FENOUIL
Prenez-en du jus, et boutez-en dans les oreilles, et, s'il y a des vers dans la teste, ils mourront.

OIGNONS
Frottez vostre bouche et vos dents avec du jus d'oignons, et jamais n'y aurez mal.

POUR FAIRE ALLER A CHAMBRE
Prenez une plume de geline trempée dans l'huylle d'olive ou dans le beurre, et mettez-la par le fondement.

POUR SAVOIR SI UNE FILLE EST PUCELLE
Prenez de la semence de pavot, et faictes-la fumer sous ses narines ; si elle est corrompue, elle pissera aussitôt ; si elle ne pisse, elle est vierge.

PERSIS POUR DESSÉCHER LES HUMEURS DU SECRET ET FAIRE BONNE ODEUR
Prenez alma claire, lavande, de chascune une drachme, une drachme d'ambre, six grains de mirte et faictes-en une poudre et passez-la dans de l'eau de rose tymiaine claire et faictes-en des petits troces de la grosseur d'une febve. Et quand vous voudrez en user, faictes-en de la fumée dans un entonnoir de fer blanc.

CONTRE LA SECRÈTE MALADIE DES FEMMES
Prenez une herbe appellée eurige, cuisez-la dans du vin, et mettez-la sur la nature de la femme quand elle sera couchée, de sorte que la chaleur y entre, et faictes-le-luy souvent : ainsi, elle guérira.

POUR GUÉRIR LE VIT ET LE CON
Recepte de Maistre Jehan de Vienne pour guérir le chancre ou l'écorchure du vit ou du con échauffés : prenez de la gravelle de vin blanc ou rouge, broyez-la en poudre, mettez-la dessus : ainsi il guérira.

POUR SAVOIR SI UNE FEMME EST GROSSE
Prenez du laict de femme qui nourrit un enfant femelle et mettez cinq gouttes de laict, et laissez-les une heure. Et après, regardez : si elles sont espandues, la dicte femme n'est pas grosse, et si elles sont ensemble, et bougent, elle est grosse d'environ un moys.

POUR SAVOIR QUEL ENFANT DOIT AVOIR UNE FEMME QUI EST GROSSE
Mettez, en un plein bassin d'eau de fontaine, une goutte de laict de sa mamelle : s'il va au fond, il est mâle, s'il flotte dessus, c'est une fille.

POUR JETER UN ENFANT HORS DU VENTRE DE SA MÈRE
Donnez à boire de l'hysope avec un peu d'eau chaulde : elle jettera dehors.

Aultre meilleure : mâchez troys feuilles de laurier, puis mettez-les sur le nombril de la femme, et elle sera délivrée. Celà est prouvé.

Il est très nécessaire de mettre présentement quelques signes par lesquels on peut connaître si la femme est grosse d'enfant.

Le premier signe est quand les deux semences spermaticques de l'homme et de la femme sont ensemble dans la matrice, à l'heure où l'homme connoist charnellement la femme, qu'il ne sorte rien desdictes semences hors de la matrice.

Le second signe est que la verge de l'homme, quand elle est hors de la matrice, après l'infusion de la semence, demeure sèche, sans qu'il sorte de la verge aucune perdition de la semence spermaticque de l'homme, mais aussi sèche qu'auparavant que l'homme connut la femme.

Le tiers signe est que la femme, après qu'elle a reçu la semence spermaticque de l'homme en sa matrice, la femme sente comme une froideur et un frisson en ses reins et en son petit ventre.

Le quatrième est que le papillon de ses mamelles grossisse plus qu'il n'était par avant et que la couleur devienne, aux bouts des papillons des mamelles, plus noire qu'elle n'était.

Le cinquième signe est que la couleur des yeulx de la femme grosse d'enfant se mue et change ; et, spécialement, le blanc des yeulx devient rouge et quelquefois pers.

Le sixième signe est que la femme grosse de fruit a en sa face de petites taches de la grandeur d'un denier, et que, par avant, elle n'avait point de tache.

Le septième signe est que la femme grosse a perdu son appétit de manger viandes qu'elle avait accoutumé devant sa grossesse et demande ordes choses comme pierres, charbon, terre et telles choses que, devant sa grossesse, elle n'eut jamais mangé.

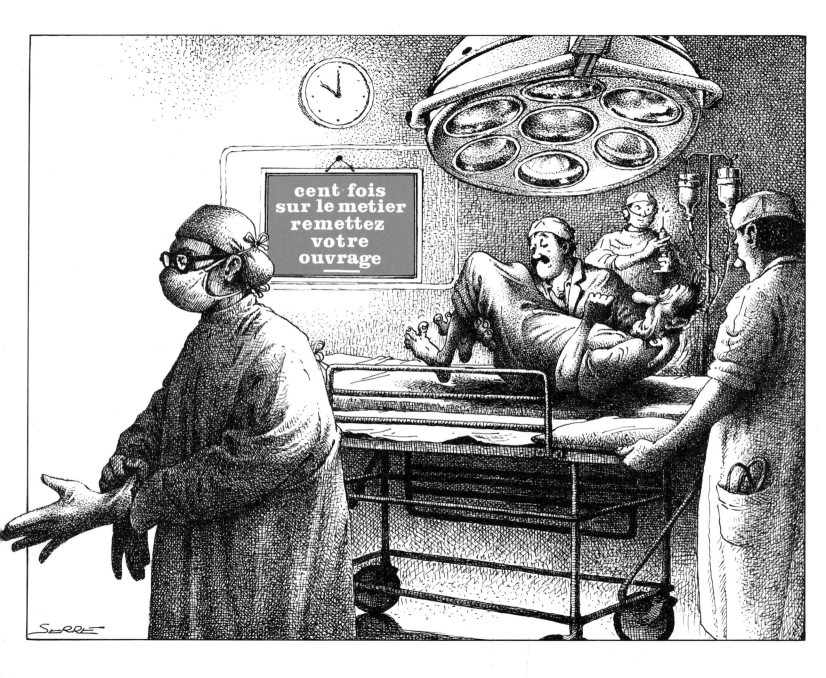

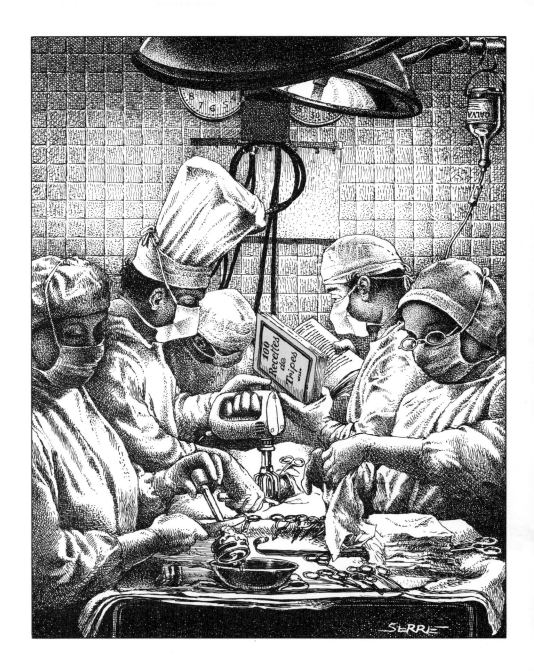

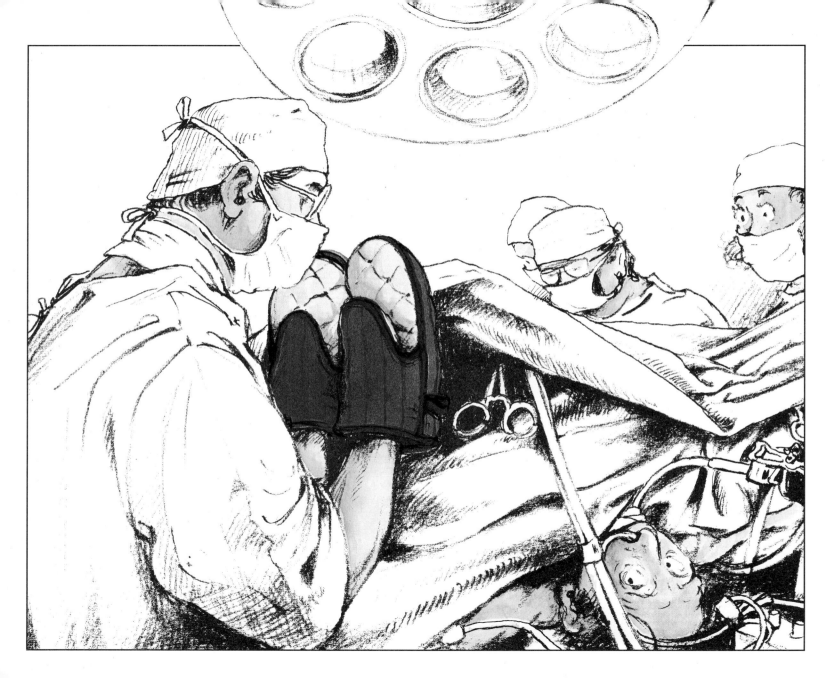

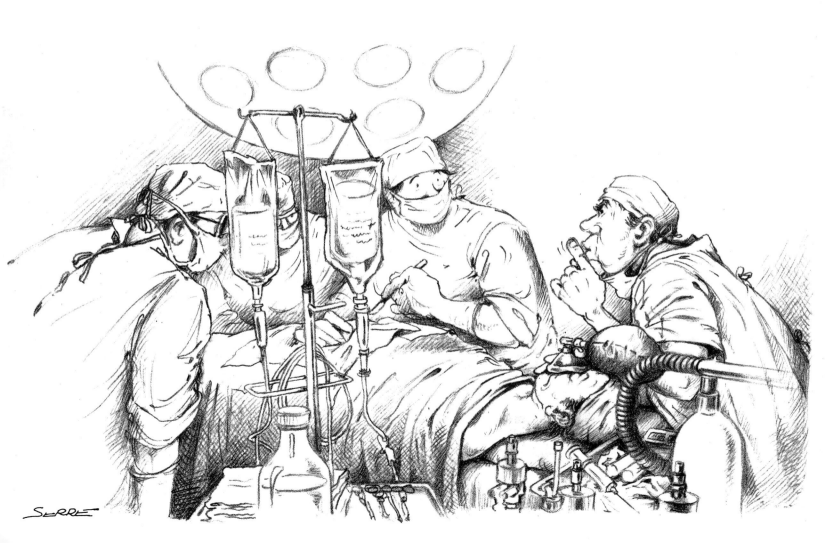

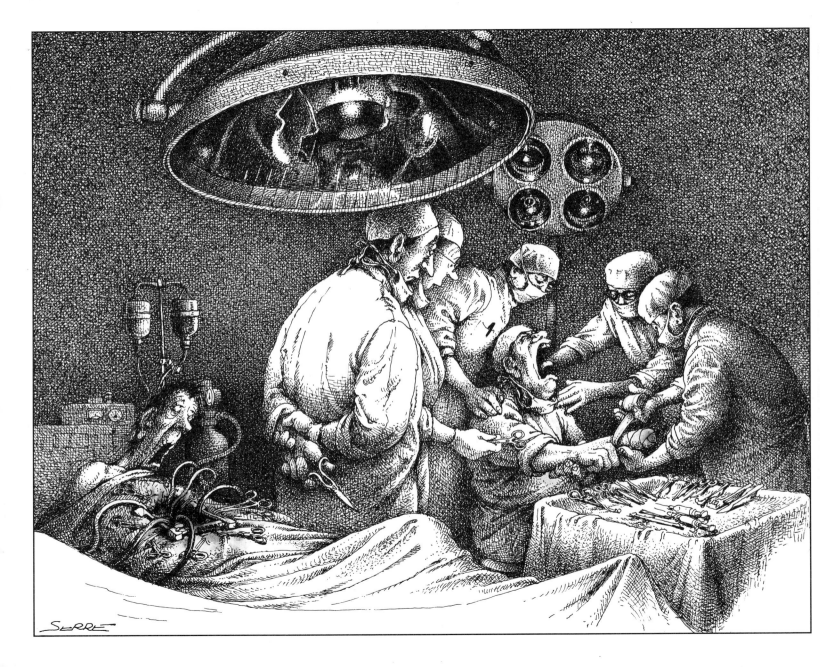

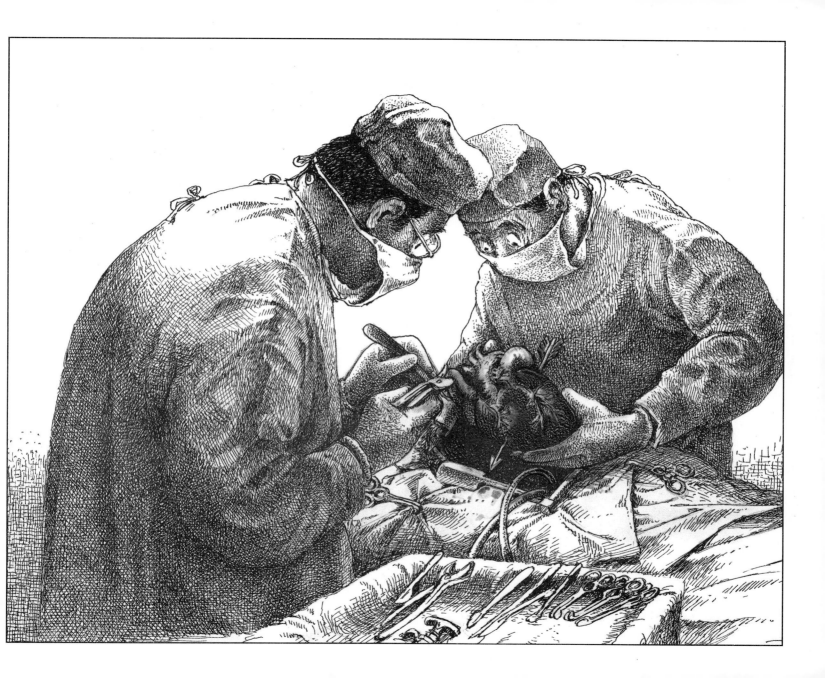

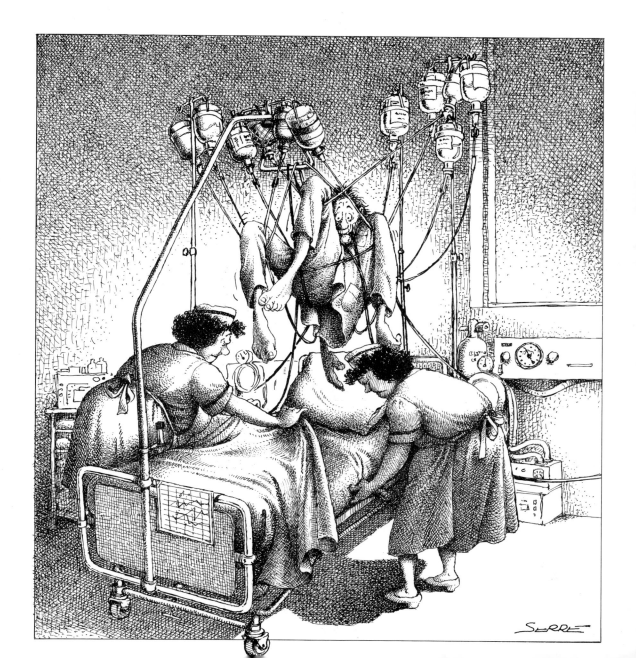

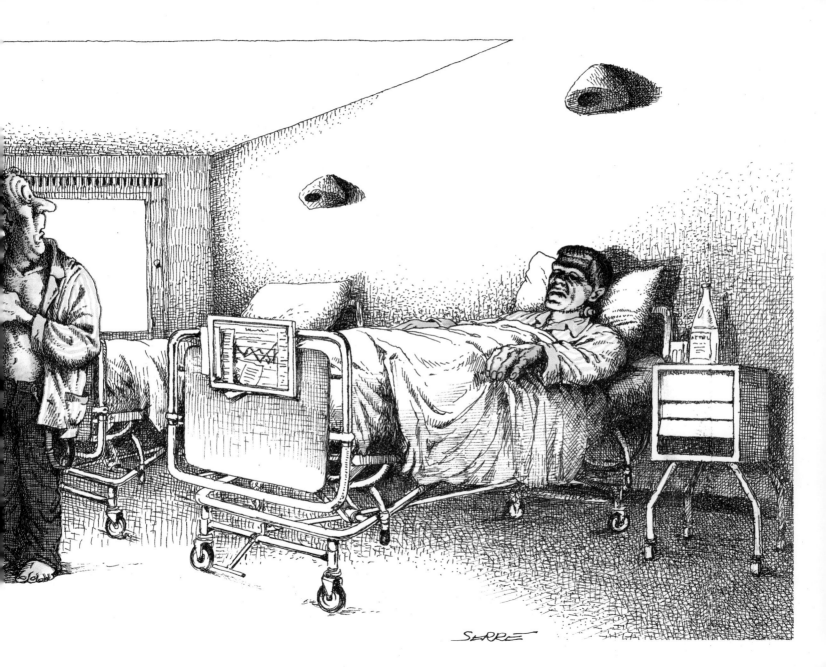

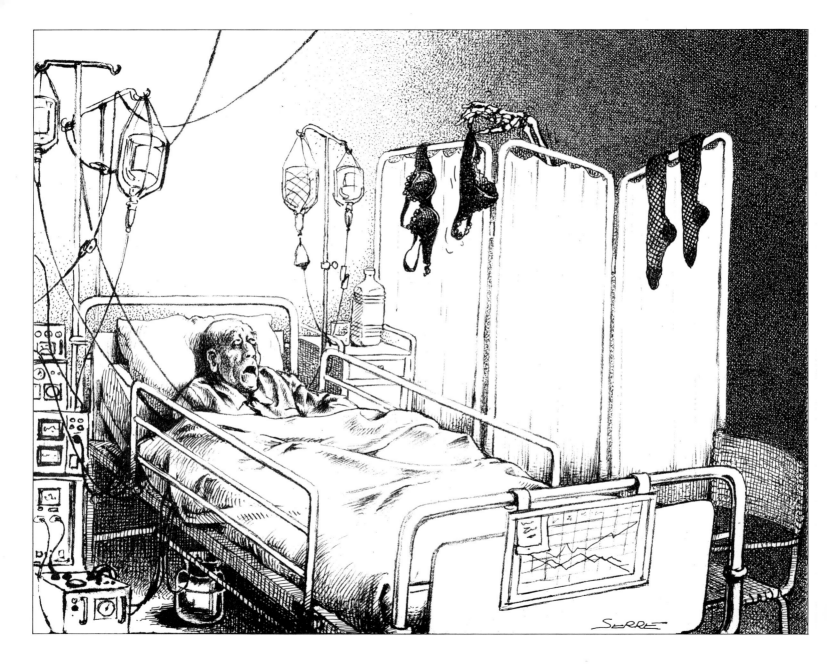

SERRE

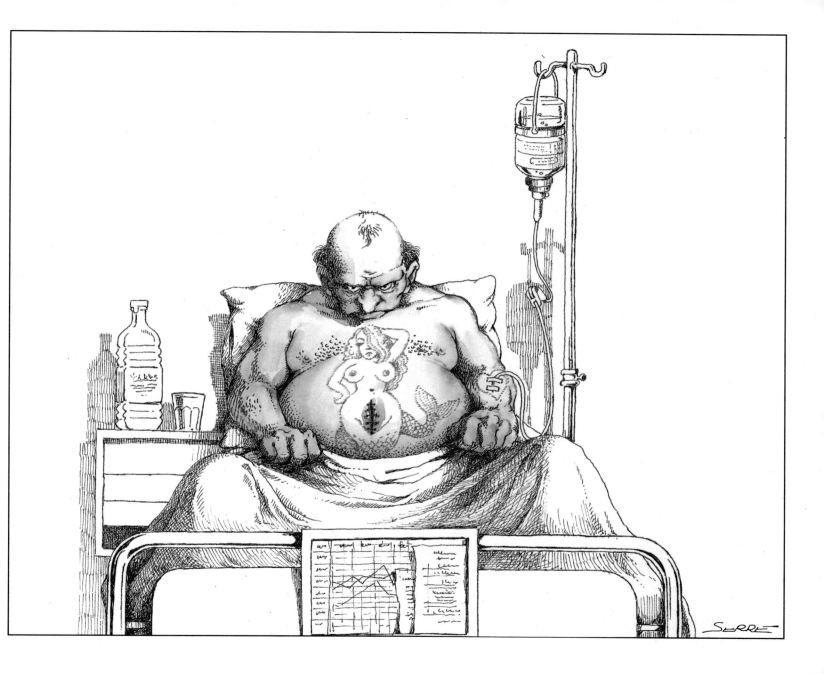

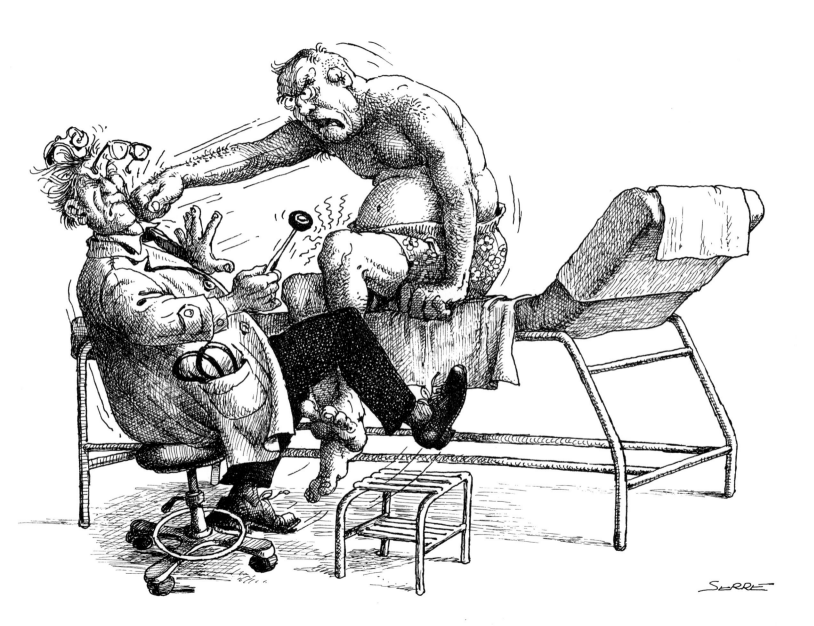

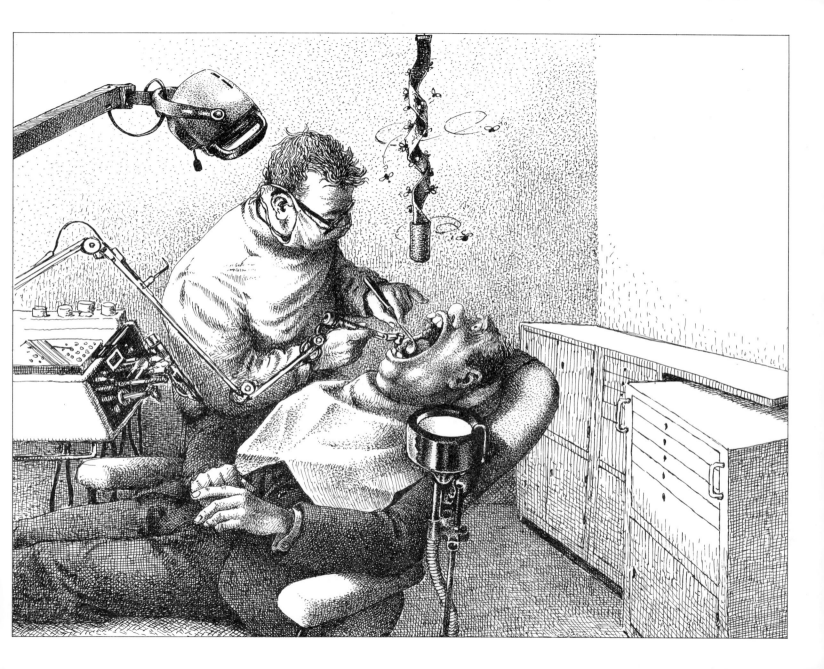

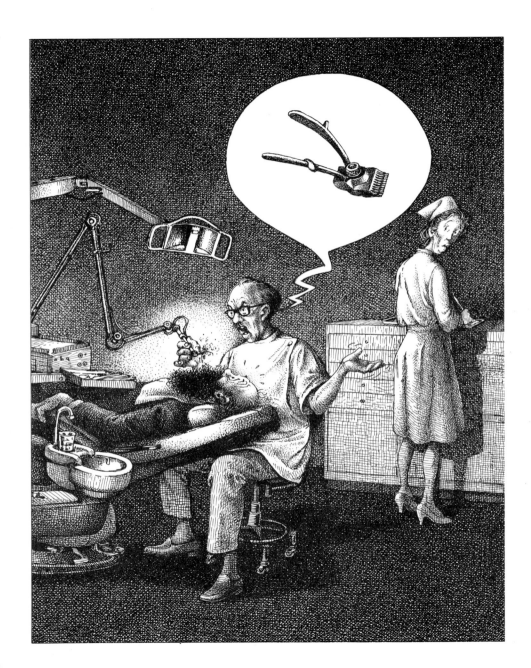

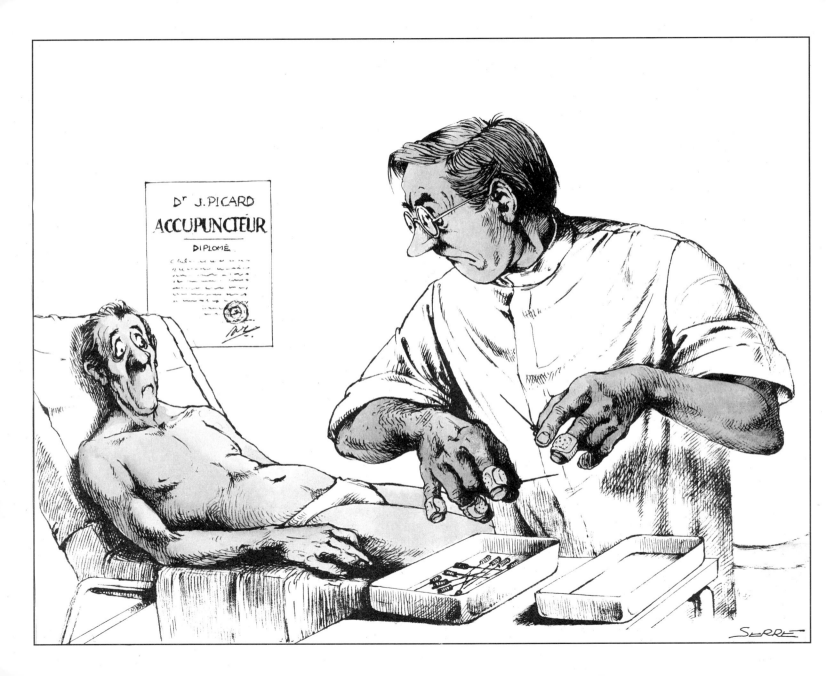

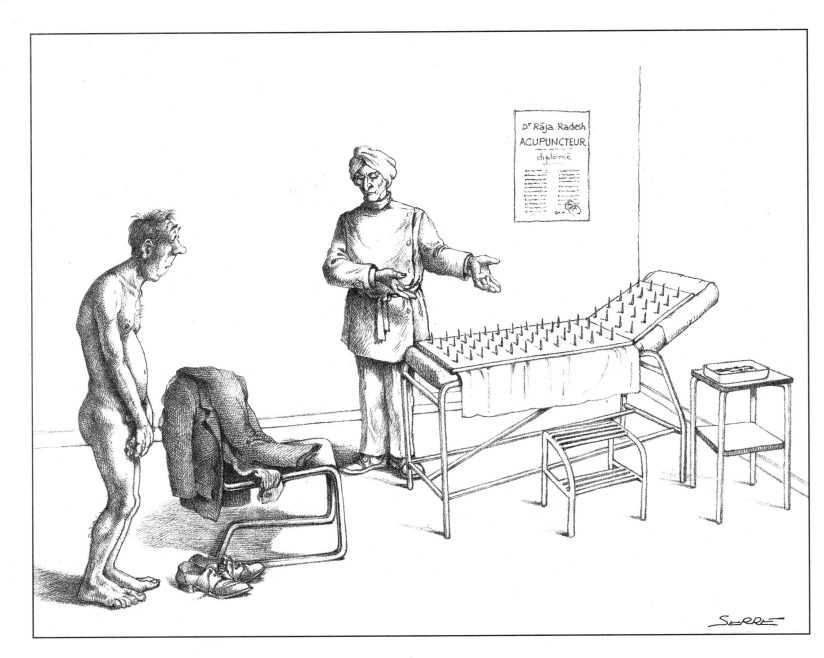

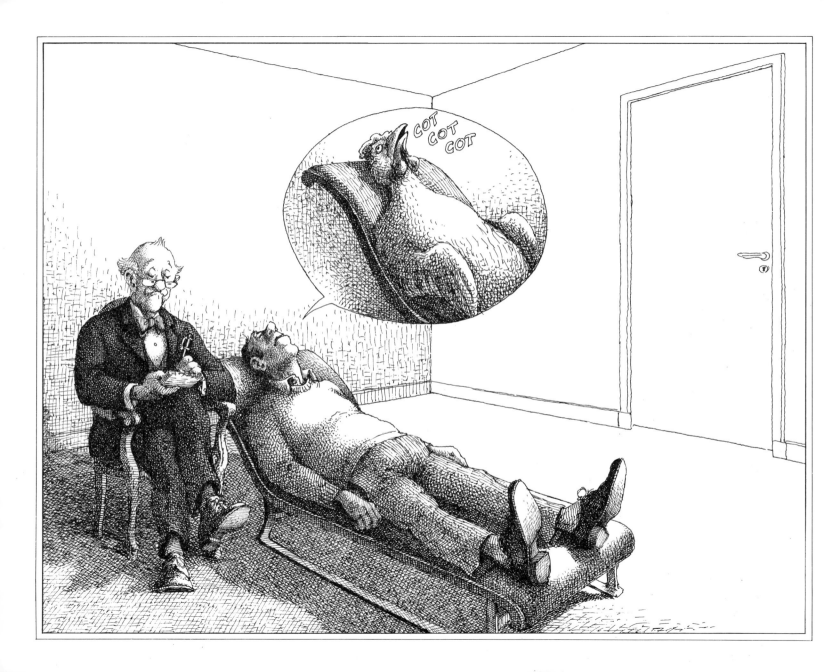

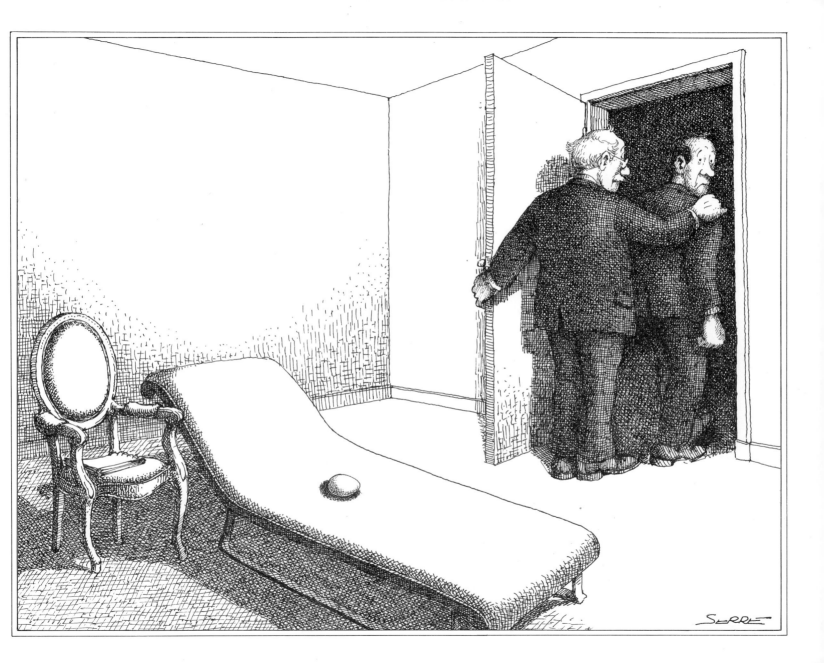

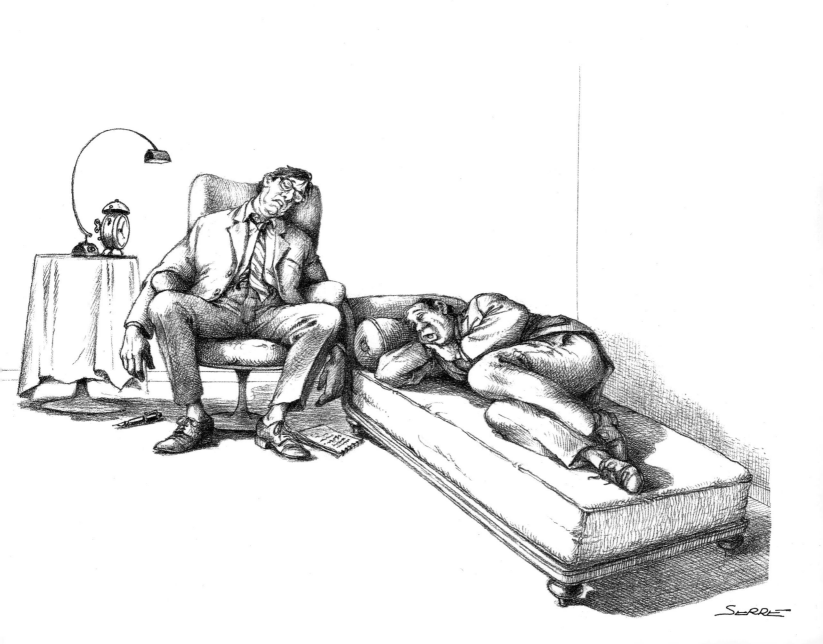

SERRE

Du même auteur

Humour noir et Hommes en blanc
Le Sport
L'Automobile
Serre... Vice compris
Savoir Vivre
La Bouffe
Le Bricolage
Les Vacances
Petits Anges
Zoo au Logis

Réalisation Partenaires
Impression Clerc S.A. - 18200 Saint-Amand-Montrond
Relié par Brun S.A. - 45330 Malesherbes

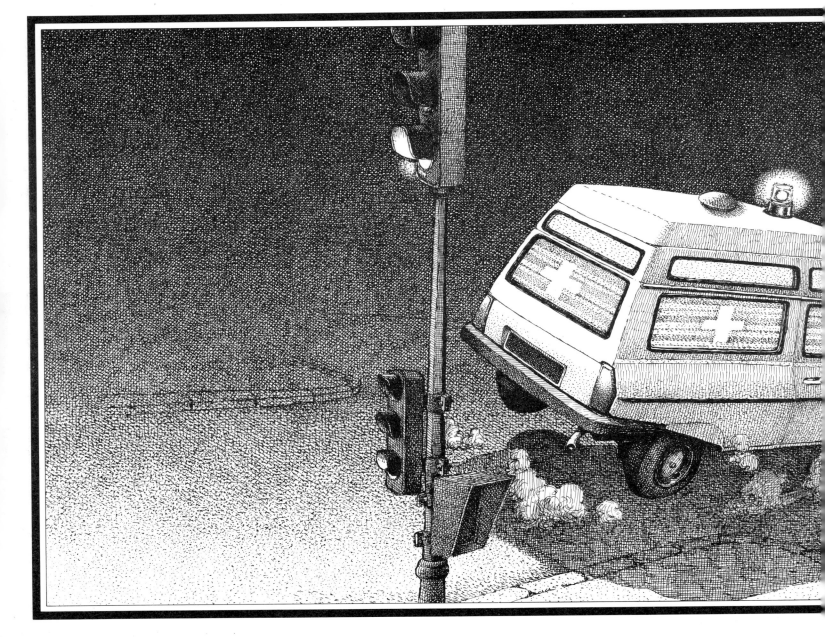